Cyntaf i'r felin...

Diarhebion hwyliog i blant

Testun gan Sian Northey

Lluniau gan Siôn Morris

Gwasg Carreg Gwalch

Argraffiad cyntaf: 2018

Rhif Llyfr Safonol Rhyngwladol:
978-1-84527-620-1

Cyhoeddwyd gyda chymorth ariannol Cyngor Llyfrau Cymru

Clawr a lluniau tu mewn: Siôn Morris
Dylunio: Eleri Owen

Cyhoeddwyd gan Wasg Carreg Gwalch,
12 Iard yr Orsaf, Llanrwst, Dyffryn Conwy, Cymru LL26 0EH.
Ffôn: 01492 642031
e-bost: llyfrau@carreg-gwalch.cymru
lle ar y we: www.carreg-gwalch.cymru

Argraffwyd a chyhoeddwyd yng Nghymru

Cyflwyniad

Rhywbeth sydd wedi cael ei ddweud dro ar ôl tro hyd nes bod pawb yn gyfarwydd â'r dywediad yw dihareb. A'r rheswm mae wedi cael ei ddweud dro ar ôl tro yw oherwydd ei fod yn wir.

Mae rhai diarhebion yn y llyfr, rhai tebyg i 'Y cyntaf i'r felin gaiff falu' a 'Nid wrth redeg mae aredig', yn dod o fyd y fferm ers talwm. Ond maen nhw i gyd yn berthnasol i'n bywydau ni heddiw, fel y gwelwch chi yn y straeon gobeithio. Ac fel y gwelwch chi yn y cartŵns – diolch yn fawr i Siôn Morris am ei luniau gwych.

Ond rhywbeth sy'n newid ac yn tyfu ydi iaith, ac mae'n siŵr y bydd diarhebion newydd yn dechrau cael eu defnyddio. Efallai y gallwch chi greu rhai? Dyma chi un i ddechrau: Waeth heb ffôn â batri fflat.

Sian Northey
Penrhyndeudraeth
Chwefror, 2018

Cynnwys

A bryn gig, a bryn esgyrn

Hoff liw Menna oedd melyn ac ar gyfer ei phen-blwydd roedd Sara, ei chwaer fawr, wedi gaddo gwneud cacen wedi'i gorchuddio efo melysion melyn. Ond roedd hi'n amhosib prynu pecyn o'r melysion oedd dim ond yn cynnwys rhai melyn. Roedd rhaid cael pecyn cymysg: rhai melyn, rhai coch a rhai glas. A doedd neb yn hoffi'r rhai glas.

Treuliodd Sara lawer o amser yn didol y melysion er mwyn cael digon o rai melyn, ac mi oedd hi'n cwyno'n ofnadwy.

'A bryn gig, a bryn esgyrn,' meddai ei mam gan chwerthin. 'Ond mi wna i dy helpu di, er mwyn i ti gael llond dysgl o rai melyn ar gyfer y gacen.'

A ddwg wy a ddwg fwy

Pan aeth Deian i'r siop i nôl cylchgrawn gwelodd lond silff o losin bychan, bychan. Ond doedd ganddo ddim digon o arian i brynu un. Yn sydyn ac yn slei, tra oedd y siopwr yn siarad â rhywun arall, rhoddodd un yn ei boced. *Fyddai'r siop ddim yn gweld colli un,* meddyliodd.

Y tro nesaf roedd o yno rhoddodd ddau yn ei boced, a'r trydydd tro penderfynodd y byddai'n well ganddo ddarn mawr o siocled yn hytrach na'r losin bychan. Roedd ar fin rhoi'r siocled yn ei boced pan sylweddolodd be oedd o'n ei wneud. Dim ond cymryd un losin bychan bach wnaeth o i ddechrau ond rŵan roedd o'n lleidr go iawn!

A fo ben, bid bont

'Ond y chi ydi'r pennaeth,' meddai nain Elfyn mewn syndod, gan edrych ar y dyn oedd yn smwddio gwisgoedd yng nghefn y llwyfan. 'Nid gwaith fel'na mae pennaeth fod i'w neud!'

'Dwi 'run fath â Bendigeidfran,' atebodd y pennaeth.

Nid oedd nain Elfyn yn deall.

'A fo ben, bid bont,' meddai Elfyn.

'Yn union, Elfyn,' meddai'r pennaeth gan wenu. 'Gan mai fi ydi'r pennaeth, fy ngwaith i ydi gwneud popeth fedra i i'ch cael chi i rownd derfynol y gystadleuaeth ddrama.'

Adar o'r unlliw ehedant i'r unlle

Erbyn diwedd y gwyliau roedd Arwel wedi gwneud criw o ffrindiau newydd ar y maes gwersylla. Bob bore bydden nhw'n dod at ei gilydd i chwarae pêl-droed.

'Tydw i'n lwcus 'mod i wedi dod o hyd i ffrindiau tebyg i fi, sydd isio chware pêl-droed trwy'r dydd,' meddai.

'Adar o'r unlliw ehedant i'r unlle,' meddai ei dad. 'Dwi wedi sylwi bod yna griw arall o blant sydd yn gwneud dim byd ond chwarae yn y pwll trwy'r dydd.'

Amlwg llaid ar farch gwyn

Roedd Siwan yn hwyr i'r ysgol ac roedd ei hathrawes braidd yn flin efo hi.

'Tydi o ddim yn deg,' cwynodd Siwan wrth ei mam ar ôl mynd adref. 'Mae llawer o'r lleill yn hwyr yn aml, a tydi hi byth yn flin efo nhw.'

'Amlwg llaid ar farch gwyn,' meddai ei mam gan roi cwtsh fawr iddi i'w chysuro. 'Am dy fod ti mor dda am gyrraedd yn brydlon fel arfer, mae o'n fwy amlwg pan wyt ti'n hwyr.'

Ceffyl da yw ewyllys

'Os byddi di wedi tacluso dy stafell wely erbyn chwech o'r gloch mi wna i fynd â chdi i weld y ffilm,' addawodd tad Jac.

Roedd hi eisoes yn hanner awr wedi pump ac fel arfer roedd hi'n cymryd oriau i Jac dacluso ei stafell flêr. Ond am bum munud i chwech roedd ei dad wedi synnu gweld y llofft fel pìn mewn papur.

'Mae'n syndod be wyt ti'n gallu ei wneud pan wyt ti isio gwneud rhywbeth,' chwarddodd. 'Ceffyl da yw ewyllys. Ty'd, i ni gael amser i brynu popcorn cyn i'r ffilm ddechrau.'

Chwedl a dyfa fel caseg eira

'Mae yna ddyn efo tâp mesur ym muarth yr ysgol,' meddai Gwyn wrth Brychan.

'Mae yna ddyn yn mesur y buarth cyn dechrau adeiladu rhywbeth,' meddai Brychan wrth Casi.

'Maen nhw'n mynd i adeiladu estyniad i'r ysgol,' meddai Casi wrth Joseff.

'Fe fydd yna gampfa yn yr estyniad newydd,' meddai Joseff wrth Megan.

'Campfa a phwll nofio fydd yn yr estyniad dach chi'n ei adeiladu'n 'de?' holodd Megan y dyn efo'r tâp mesur.

Edrychodd hwnnw arni hi'n syn. 'Wedi dod yma i drwsio'r giât ydw i,' meddai, a rhoi ei dâp mesur yn ôl yn ei boced.

Da gan gath bysgodyn, ond cas ganddi wlychu ei thraed

Gofynnwyd i rieni'r plant oedd yn yr ysgol feithrin i gyd gyfrannu rhywbeth tuag at y picnic yn y parc.

'Syniad da,' cytunodd pawb.

Roedd un am wneud brechdanau, un arall am wneud cacen ac un arall am ddod â photiau bychain o ffrwythau wedi'u torri'n fân.

Wnaeth Mrs Davies ddim cynnig gwneud dim byd. Dywedodd nad oedd hi'n hoffi coginio. Ond fe ddaeth hi a'i mab i'r picnic a bwyta llond eu boliau.

Deuparth gwaith yw ei ddechrau

Roedd angen gwagio llawer iawn o lanast o'r garej yn y tŷ newydd er mwyn gwneud lle i gadw'r car, ac roedd tad Erin wedi bod yn osgoi dechrau ar y gwaith. Gwyddai y byddai'n cymryd llawer iawn o amser. Ond ar ôl cario dim ond un llond berfa oddi yno roedd o'n teimlo'n llawer hapusach.

'Deuparth gwaith yw ei ddechrau,' meddai gan wenu a dechrau llenwi'r ferfa eto. 'Dechrau gwneud rhywbeth ydi'r peth anoddaf. Bron 'mod i'n teimlo 'mod i wedi gwneud dwy ran o dair ohono fo'n barod.'

Dur a hoga ddur

Ers iddi newid dosbarth roedd Gwawr yn gwneud yn llawer gwell mewn mathemateg ac yn mwynhau'r pwnc llawer mwy.

'Mae'n rhaid bod gennyt ti athro newydd,' meddai ei thaid wrth edrych ar ei hadroddiad ddiwedd y tymor.

'Nag oes,' atebodd Gwawr, 'ond mae Dei yn dda am wneud mathemateg, a Llinos a Tara a Siôn. A deud y gwir, mae bron iawn pawb yn y dosbarth yma'n dda am wneud mathemateg, felly mae hynny'n fy ngwneud i'n well, rywsut.'

'Dwi'n gweld,' meddai ei thaid. 'Dur a hoga ddur.'

Dyfal donc a dyr y garreg

Roedd Mari'n cael trafferth cael gafael ar yr union lun roedd hi ei angen ar gyfer ei phrosiect gwaith cartref. Roedd hi wedi edrych ar 30 neu fwy o safleoedd gwe.

'Rho'r gora iddi hi,' meddai ei thad.

'Na, dwi am ddal ati,' atebodd Mari. 'Dyfal donc a dyr y garreg. Mi wna i lwyddo yn y diwedd.'

Cliciodd ar safle arall.

'Hwrê!' meddai. 'Dyma'r llun dwi ei angen.'

Eilfam, modryb dda

Modryb Twm oedd yn ei nôl o'r pwll nofio, a'i fodryb oedd yn mynd ag o i'r ymarfer rygbi os byddai ei fam yn gweithio. Weithiau byddai'n cael mynd i wersylla efo hi, a phan y byddai rhywbeth yn ei boeni at ei fodryb y byddai'n mynd i gwyno yn aml iawn.

'Eilfam, modryb dda,' meddai ei daid wrth weld modryb Twm yn ei helpu efo'i waith cartref un noson.

'Ia, dach chi'n iawn,' meddai Twm, 'mae hi fel mam rhif 2 i mi, tydi!'

Eira mân, eira mawr

Roedd hi wedi dechrau bwrw eira, ond roedd Gwenno'n siomedig gan mai plu eira bach, bach oeddan nhw.

'Gawn ni byth ddigon i wneud dyn eira,' cwynodd. 'Dwi isio plu eira mawr.'

'Eira mân, eira mawr,' dywedodd ei mam. 'Aros di i ti gael gweld.'

Ac yn wir, fe wnaeth y plu eira mân, mân, bychan, bychan ddal ati i ddisgyn trwy'r prynhawn, ac erbyn amser te roedd yna drwch o eira ar y llawr a Gwenno a'i dwy chwaer yn yr ardd yn adeiladu'r dyn eira mwyaf erioed.

Ffôl pawb ar brydiau

Allai Mari ddim credu ei bod wedi bod mor wirion. Hi oedd y callaf o'r pedair chwaer; roedd hi hyd yn oed yn credu ei bod yn gallach na'i mam a'i thad. Hi oedd yr un drefnus, yr un oedd yn cofio popeth, yn gwneud ei gwaith cartref mewn pryd ac yn edrych ar ôl pawb arall pan oedden nhw mewn trybini. A rŵan roedd hi yn yr orsaf drên anghywir, heb arian ac yn gorfod ffonio ei thad am help.

Erbyn i'w thad ei nôl hi roedd hi bron â chrio oherwydd ei bod hi mor flin efo hi'i hun.

'Paid â phoeni, Mari fach,' meddai ei thad pan welodd o hi. 'Ffôl pawb ar brydiau.'

Gan y gwirion ceir y gwir

Nid oedd rhieni Elgan am ddweud wrth bawb eu bod yn ymfudo i Awstralia hyd nes bod yr holl drefniadau wedi eu gwneud a phopeth yn sicr. Yn Awstralia roedd nain Elgan yn byw, ac roedd rhieni Elgan wedi'i siarsio i beidio dweud dim byd wrthi pan sgwrsiai'r teulu gyda hi dros y we, rhag codi ei gobeithion. Ond nid oedd neb wedi meddwl am Nedw, brawd bach Elgan, oedd ond yn dair oed.

'Nain! Nain!' meddai Nedw y munud y gwelodd ei hwyneb ar y sgrin. ''Dan ni'n mynd i fyw mewn tŷ efo cangarŵs!'

Chwarddodd pawb.

'Mi oeddan ni am aros hyd nes bod pethau'n bendant cyn dweud wrthach chi,' meddai tad Elgan, 'ond gan y gwirion y ceir y gwir.'

Goganu'r bwyd a'i fwyta

Roedd Dewyrth Aron wedi dod draw i gael pryd o fwyd.

'Goganu'r bwyd a'i fwyta fydd o, gei di weld,' meddai mam Aron.

Doedd Aron ddim yn deall be oedd hi'n ei olygu.

Eisteddodd ei ewyrth wrth y bwrdd a gwneud sylwadau am y bwyd trwy gydol y pryd.

'Biti mai bara gwyn sydd ganddoch chi.'

'Mae'r tatws 'ma wedi coginio 'chydig gormod.'

'Mi fysa'r darten yn well efo mwy o siwgr.'

Ac eto ar ddiwedd y pryd roedd ei blât a'i ddysgl yn wag ac wedi'u crafu'n lân.

Daliodd mam Aron lygad ei mab.

'Wyt ti'n deall rŵan?' sibrydodd.

Gorau amheuthun, chwant bwyd

'Hwnna,' meddai Daniel, 'oedd y cawl gora dwi erioed wedi'i gael!'

Roedd ei fam wedi synnu, gan ei bod hi'r un rysêt ag roedd hi'n arfer ei defnyddio.

'Wel, mi oedd o lawer gwell nag arfer,' mynnodd Daniel.

'Dwi'n gwybod pam ei fod o'n blasu'n well heddiw,' meddai ei dad. 'Wnest ti ddim cael cyfle i fwyta cinio heddiw, naddo?'

Gorau chwarae, cydchwarae

Roedd Rhydian yn chwaraewr pêl-droed gwych. Roedd yn gyflym ac yn heini ac yn gallu rheoli'r bêl yn well na neb arall yn yr ysgol. Ac eto roedd pawb yn mwynhau'r gêm yn well ar yr adegau prin pan nad oedd o yno oherwydd ei fod o'n chwaraewr mor hunanol. Weithiau byddai'r tîm yn dioddef oherwydd hynny.

Ond y tymor diwethaf fe welodd Mr Efans, yr athro chwaraeon, newid mawr yn Rhydian – roedd o'n pasio'n amlach ac yn gadael i'r bechgyn eraill gael cyfle i serennu.

'Dwi'n falch iawn ohonat ti,' meddai Mr Efans ar ddiwedd un gêm.

'Arwyddair tîm Cymru, 'de!' atebodd Rhydian. 'Os ydi o'n ddigon da i Gareth Bale, mae o'n ddigon da i mi.'

Gorau cof, cof llyfr

Roedd Maelan a'i thad yn sôn am y gwyliau gafodd y teulu llynedd. Roedd y ddau yn cofio eu bod wedi bod ar daith cwch ar gamlas ac wedi aros i gael cinio mewn tafarn oedd ar lan y gamlas. Roedd Maelan yn credu mai'r Llew Glas oedd enw'r dafarn ac roedd ei thad yn meddwl mai'r Llew Coch oedd ei henw. Roedd y ddau yn dadlau pan ddaeth Dewi, brawd mawr Maelan, adref.

'Wyt ti'n cofio be oedd enw'r dafarn?' gofynnodd Maelan.

'Nag ydw,' atebodd Dewi, 'ond gorau cof, cof llyfr. Mi wna i edrych yn fy nyddiadur.'

Aeth i nôl ei ddyddiadur a throi i'r dudalen gywir a darllen:

'Pawb wedi cael cinio da yn nhafarn y Llew Aur.'

Gorau Cymro, Cymro oddi cartref

Roedd Ewyrth John yn byw yn Efrog Newydd ond byddai'n dod i weld ei frawd, sef tad Cadi, unwaith bob blwyddyn. Byddai'n cyrraedd gyda baner y ddraig goch yn cyhwfan ar y car, crys coch amdano gyda 'Cymru am Byth' wedi ei ygrifennu arno a byddai'n brolio cymaint roedd yn caru Cymru. Erbyn ymweliad eleni roedd hyd yn oed wedi cael tatŵ cenhinen Bedr ar ei fraich.

'Pam fod Ewyrth John yn caru Cymru fwy na ti?' holodd Cadi ei thad.

'Tydi o ddim, siŵr,' atebodd ei thad, 'ond mae o'n byw yn bell i ffwrdd ac yn teimlo bod rhaid iddo fo atgoffa pawb mai Cymro ydi o. Gorau Cymro, Cymro oddi cartref, 'sti!'

Gormod o ddim nid yw dda

'Fe allwn i fyw ar siocled,' meddai Angharad. Ond roedd ganddi boen ofnadwy yn ei bol ar ôl bwyta siocled i frecwast ac i ginio ac i de ac i swper.

'Mi hoffwn i gael llonydd i ddarllen trwy'r dydd,' meddai tad Nia. Ond ar ôl diwrnod cyntaf y gwyliau ac yntau heb symud o'i gadair ger y pwll ac wedi darllen dau lyfr a hanner, roedd yn hapus iawn i fynd am dro ar hyd y traeth efo gweddill y teulu.

'Mae angen glaw,' meddai nain Begw gan edrych ar ei phlanhigion yn ei gardd sych. Ond ar ôl iddi fwrw'n ddi-baid am bythefnos roedd yr ardd a'r planhigion yn edrych yn ddigalon iawn.

Gweddw crefft heb ei dawn

Roedd Gwennan yn siomedig – roedd hi wedi bod i bob gwers gymnasteg ac wedi ymarfer ac ymarfer ac ymarfer, ond dim ond y drydedd wobr gafodd hi. Lili oedd wedi ennill. Roedd Lili yn dod i'r gwersi i gyd hefyd ond doedd Gwennan ddim yn credu bod Lili wedi ymarfer cymaint â hi.

'Pam mai Lili sy'n ennill bob tro?' holodd.

'Mae Lili yn naturiol dda, mae ganddi hi ddawn arbennig mewn gymnasteg,' atebodd mam Gwennan. 'Fel mae gen ti ddawn arbennig i ganu'r piano. Waeth faint fyddai Lili'n ymarfer y piano, mwyaf tebyg na fyddai hi cystal â chdi.'

Gwell Cymraeg slac na Saesneg slic

Roedd yna raglen radio'n cael ei gwneud am y pentref, a'r cyflwynydd am siarad efo rhai o blant yr ysgol. Roedd yr athro yn awyddus i Ali fod yn un ohonynt, ond roedd Ali'n bryderus. Dim ond ychydig fisoedd oedd ers iddo symud i Gymru o Loegr a doedd o ddim yn siŵr a oedd ei Gymraeg o'n ddigon da.

'Paid â phoeni,' meddai'r athro. 'Mae dy Gymraeg di'n gwella bob dydd, a tydi o ddim yn broblem os wyt ti'n defnyddio ambell air Saesneg. Gwell Cymraeg slac na Saesneg slic!'

Y diwrnod wedyn roedd Ali'n wên o glust i glust.

'Roedd o'n cŵl,' meddai. 'Ac fe wnaeth Mam wrando, ac understandio 'chydig bach.'

Gwell hanner na dim

Roedd Elin am i'w thad dreulio'r diwrnod efo hi yn y sioe hen geir a pheiriannau. Roedd hi wedi cynllunio'r diwrnod cyfan yn ei phen: canolbwyntio ar y tractorau yn y bore, cinio yn ei hoff gaffi, mynd o amgylch y stondinau i brynu pethau ar ôl cinio, yna edrych ar yr hen geir rasio a galw yn nhŷ ei modryb ar y ffordd adref.

'Alla i ddim mynd yn y bore,' meddai ei thad, 'ond dwi'n hapus i ddod efo chdi yn y pnawn.'

'Ond mae angen diwrnod cyfan i weld pob dim!' cwynodd Elin.

'Aros adref felly?' gofynnodd ei thad.

'O na!' atebodd Elin yn syth. 'Gwell hanner na dim.'

Gwell hwyr na hwyrach

Roedd Branwen a'i thad ar eu ffordd i barti pen-blwydd ei thaid. Roedden nhw wedi cael siars gan Taid fod y parti yn cychwyn am chwech o'r gloch a bod angen i bawb fod yno erbyn hynny. Ond roedd popeth wedi mynd o chwith: nid oedd Branwen yn gallu cael hyd i'w hesgidiau, roedd ei thad wedi anghofio rhoi petrol yn y car ac yna roedd ciw hir o draffig ar y draffordd. Roedd hi bron yn saith o'r gloch ar y ddau'n cyrraedd.

'Rydach chi'n hwyr!' meddai Taid, ychydig yn flin.

'Peidiwch â phoeni,' meddai Nain. 'Gwell hwyr na hwyrach. O leia dach chi yma cyn i ni dorri'r gacen. Mi fyddai wedi bod yn bechod i chi golli hynny.'

Gwell nag athro yw arfer

'Pwy wnaeth eich dysgu chi i drwsio pethau, Taid?' holodd Trystan.

Roedd ei daid yn ei weithdy ac yn trwsio sgwter Trystan. Wedyn roedd o am drwsio peiriant torri gwair y dyn drws nesaf. Roedd taid Trystan yn gallu trwsio pob math o bethau.

'Wnaeth 'na neb fy nysgu i, 'sti, Trystan.'

'Ond ... Sut?'

'Gwell nag athro yw arfer. Dwi wedi bod yn stwna yn y cwt 'ma er pan oeddwn i yr un oed â chdi. Felly dwi wedi dysgu.'

Gwell plygu na thorri

Roedd y prifathro newydd yn awyddus iawn fod pob un o'r plant yn gwisgo'r wisg ysgol gywir. Anfonodd lythyr yn rhestru pob rheol – roedd yn rhaid i'r esgidiau fod yn ddu, roedd rhaid i sanau pawb fod yn llwyd, ni ddylai sgertiau'r merched fod yn rhy hir nag yn rhy llaes – roedd hi'n rhestr hir a manwl iawn.

Derbyniodd sawl cwyn gan rieni a phlant. Bu'n dadlau gyda'r rhai cyntaf ond gwelodd yn fuan bod yna lawer o wrthwynebiad i'w gynlluniau.

'Gwell plygu na thorri,' meddai wrtho'i hun, ac anfon ail lythyr yn dweud y byddai'n fodlon petai pob disgybl yn gwisgo crys gwyn a chrys chwys yr ysgol.

Gwyn y gwêl y frân ei chyw

Roedd mam Delyth yn ei chanmol bob cyfle gâi. Roedd hi'n dweud wrth bawb fod Delyth yn wych am ganu, ac am wneud mathemateg, ac am redeg.

'Dwi ddim yn deall,' meddai Seren wrth ei thad. 'Dwi'n ffrindiau mawr efo Delyth, ond tydi hi ddim yn dda am ganu, nag am wneud mathemateg, a tydi hi ddim yn dda iawn am redeg. Pam bod ei mam hi'n dweud celwydd?'

'Gwyn y gwêl y frân ei chyw,' atebodd tad Seren. 'Ei merch fach hi ydi hi ac mae hi'n meddwl mai hi ydi'r ferch orau yn y byd.'

'O, dwi'n gweld,' meddai Seren.

'Tydi hi ddim yn iawn, wrth gwrs,' meddai tad Seren. 'Chdi ydi'r ferch orau yn y byd!'

Hawdd bod yn gall drannoeth

Roedd Enfys wedi treulio dwy awr yn chwilio am y ci bach newydd oedd wedi mynd ar goll ar ôl gwthio trwy dwll yn y ffens o amgylch yr ardd. Fe gafodd hyd iddo ar ôl chwilio am oriau a dod â fo adref. Y peth cyntaf wnaeth hi y bore wedyn oedd trwsio'r twll yn y ffens.

'Mi ddylat ti fod wedi gwneud hynna ddoe,' meddai ei brawd.

'Petawn i'n gwybod ei fod o'n gallu gwthio trwy dyllau mor fach mi fyddwn i wedi gwneud!' atebodd Enfys. 'Hawdd bod yn gall drannoeth.'

Hawdd cymod lle bo cariad

Roedd mam a thad Sali yn ffraeo pan ddaeth hi adref o'r ysgol ac yn gweiddi pob math o bethau cas ar ei gilydd. Roedd Sali'n amau eu bod yn ffraeo ynglŷn â lle i fynd ar eu gwyliau, ond doedd hi ddim yn siŵr. Penderfynodd ddianc i dŷ ei nain ym mhen draw'r stryd. Gwnaeth ei nain swper iddi ac yna dweud wrthi fynd adref.

'Fe fyddan nhw wedi cymodi erbyn hyn, gei di weld,' meddai ei nain. 'Mae'r ddau yna'n caru naill a'r llall fwy na neb dwi'n nabod.'

Ac yn wir, erbyn i Sali gyrraedd adref roedd ei rhieni'n gwenu ac yn chwerthin ac yn edrych ar daflenni gwyliau fel pe bai dim wedi digwydd.

Heb ei fai, heb ei eni

Roedd rhieni Deio'n chwilio am rywun i weithio ar eu safle carafannau ac roedd llawer o bobl wedi gwneud cais am y swydd. Roedd y ddau'n eistedd wrth y bwrdd yn edrych ar y ffurflenni cais. Doedd neb yn plesio mam Deio.

'Ddim yn gallu gyrru – na. Ddim yn gallu siarad Cymraeg – na. Ddim yn gallu gweithio ar ddydd Sadwrn – na.'

Roedd cais pawb wedi mynd i'r pentwr 'na'.

'Fe fydd rhaid i ni gael rhywun,' meddai tad Deio. 'A does yna neb yn berffaith, cofia. Heb ei fai, heb ei eni.'

'Mae'n siŵr dy fod yn iawn,' atebodd ei wraig, ac edrych eto ar un o'r ffurflenni. 'Efallai y byddai posib i hwn ddysgu gyrru.'

Heb ei ofid, heb ei eni

Roedd pawb yn meddwl bod bywyd Osian mor braf. Roedd yn dda am chwaraeon ac yn un da am wneud ei waith ysgol; roedd yn byw mewn tŷ mawr braf; roedd ei rieni'n glên a hapus bob amser.

'Dwi ddim yn meddwl fod 'na ddim byd yn poeni Osian,' meddai Lois. Roedd Lois yn cael trafferth gyda'i gwaith cartref, roedd hi'n casáu rhannu llofft gyda'i chwaer fach, ac weithiau roedd ei thad yn flin a'i mam yn gorfod rhuthro i'w gwaith.

'Paid â bod mor siŵr,' atebodd ei mam. 'Heb ei ofid, heb ei eni. Mae yna rywbeth yn poeni pawb. Mi welais i o ar ei ffordd i'r ysbyty bore 'ma – mae ei daid yn wael iawn.'

'Doeddwn i ddim yn gwbod hynny,' meddai Lois.

Heini y rhed newydd drwg

Pan gyrhaeddodd Annes adref roedd hi wedi synnu gweld clamp o gacen siocled ar ganol y bwrdd.

'I chdi,' meddai ei mam. 'Mi oeddwn i'n meddwl y bysat ti'n licio rhywbeth i godi dy galon ar ôl i chi golli'r gêm, a cholli o gymaint.'

'Ond sut oeddach chi'n gwbod?' holodd Annes. Dim ond chwarter awr oedd ers i'r gêm orffen ac mi oedd hi wedi dod yn syth adref ar y bws heb ddweud dim byd wrth neb.

'Roedd rhywun wedi deud wrth Wil, a Wil wedi deud wrth dy nain, a dy nain wedi deud wrtha i. Heini y rhed newydd drwg.'

'Ia, yn'de,' meddai Annes gan dorri darn o'r gacen. 'Siŵr 'sa chi heb glywed 'sa ni wedi ennill.'

Heua'r ŷd sydd yn dy fryd i'w fedi

'Be wyt ti wedi bod yn neud wythnos yma?' holodd nain Harri pan ffoniodd nos Sul i gael sgwrs efo'r teulu.

'Chwarae dartiau a gwylio teledu,' atebodd Harri.

'Ti wedi colli diddordeb yn y rhedeg felly?' holodd ei nain.

'O, na,' meddai Harri gan esbonio cymaint yr oedd o isio rhedeg yn y ras fwd ymhen y mis i godi arian at Ymchwil Cancr, a sut oedd rhaid bod yn ffit i wneud hynny.

'Wel, os dyna wyt ti wirioneddol isio'i neud,' meddai ei nain, 'mi fyddai'n well i ti redeg yn rheolaidd. Heua'r ŷd sydd yn dy fryd i'w fedi – os mai rhedeg wyt ti am ei neud, rhaid i ti neud pethau wneith dy helpu i redeg.'

Hir yw pob aros

Roedd Alys yn edrych ymlaen at weld ei modryb a oedd yn byw yn Llundain. Roedd hi’n cyrraedd ar y trên ac roedd Alys a’i mam wedi mynd i’r orsaf i’w chyfarfod. Daeth llais ar uchelseinydd yr orsaf yn dweud y byddai’r trên o Lundain hanner awr yn hwyr. Eisteddodd Alys a’i mam ar fainc yn aros. Bob pum munud roedd Alys yn gofyn faint mwy o amser fyddai’n rhaid aros am y trên.

‘’Dan ni wedi bod yma ers oriau!’ meddai’n ddiamynedd.

‘Naddo, dim ond chwarter awr,’ atebodd ei mam.

‘Ond mae’n teimlo’n llawer hirach,’ cwynodd Alys.

‘Mae hynny am ein bod ni’n aros am rywbeth,’ meddai ei mam. ‘Hir yw pob aros.’

Hir yw'r ffordd na cherddwyd ond unwaith

Y tro cyntaf yr aeth Aled efo'i fodryb i ddangos ei chŵn mewn sioe roedd o'n teimlo bod y paratoi yn cymryd hydoedd. Roedd angen rhoi bath i bob ci, a'u sychu a'u brwsio a thorri blew ambell un. Roedd angen paratoi bwyd i'r cŵn a bwyd i Aled a'i fodryb. Roedd angen gwneud yn siŵr bod y cŵn oedd yn aros adref yn iawn. Roedd angen pacio popeth i mewn i'r fan. Ac roedd Aled ar dân isio cychwyn.

'Pryd 'dan ni'n cael cychwyn?' cwynodd.

Ond yr ail dro roedd o'n teimlo bod popeth wedi digwydd llawer cynt.

'Dach chi'n siŵr bod ni wedi gwneud popeth?' holodd. 'Mi gymrodd lawer hirach i ni gael pethau'n barod tro diwethaf.'

'Hir yw'r ffordd na cherddwyd ond unwaith,' atebodd ei fodryb. 'Mae popeth yn teimlo'n hir y tro cyntaf ti'n ei neud o.'

I'r pant y rhed y dŵr

Roedd y teulu Jones, cymdogion Swyn, yn bobl gyfoethog. Roedd ganddynt gar newydd, smart a dillad drud ac yn mynd ar sawl gwyliau tramor bob blwyddyn. Felly doedd Swyn ddim yn meddwl ei fod o'n deg o gwbl eu bod nhw wedi ennill £10,000 ar gerdyn loteri.

'I'r pant y rhed y dŵr,' meddai tad Swyn wrthi hi. Pwyntiodd at y cae o flaen y tŷ. 'Wyt ti'n gweld y dŵr i gyd yn hel at ei gilydd yn y pant acw yng ngwaelod y cae? Wel, mae arian 'run peth, i gyd yn hel at ei gilydd ...'

'Yn nhŷ Mr Jones!' gorffennodd Swyn ei frawddeg.

Llathen o'r un brethyn

Roedd tad Mel yn amyneddgar iawn wrth drin anifeiliaid ond yn gallu colli ei dymer yn sydyn efo pobl. Roedd Mel wedi bod wrthi'n amyneddgar iawn yn ceisio dysgu'r ci bach newydd i fynd i nôl pêl, ond collodd ei dymer efo'i chwaer fach pan ddaeth hi i fusnesu.

'Llathen o'r un brethyn wyt ti a dy dad,' meddai ei fam. 'Dyna'n union y byddai o wedi'i neud.'

'Sori,' meddai Mel.

'Ac mae o'n ymddiheuro'n syth wedyn hefyd,' meddai ei fam gan chwerthin.

Lle crafa'r iâr y piga'r cyw

Elen oedd yr un oedd wedi darllen y mwyaf o lyfrau mewn tymor o'r holl ddosbarth ac fe gafodd wobr arbennig ar ddiwedd y tymor. Wrth ei llongyfarch fe ddywedodd y pennaeth, 'Efallai nad yw pawb yn gwybod, ond mam Elen sy'n cadw'r siop lyfrau yn y dref ac mae hi hefyd yn ysgrifennu llyfrau. Lle crafa'r iâr y piga'r cyw.'

Ysgydwodd ei llaw a rhoi amlen iddi. Roedd Elen wrth ei bodd efo cynnwys yr amlen – tocyn llyfr!

Llysywen mewn dwrn yw arian

Roedd Geraint wedi cael £20 gan ei nain gan ei fod yn mynd i'r Sioe Fawr yn Llanelwedd. Pan aeth trwy'r giatiau yn y bore roedd o'n teimlo bod ganddo ddigonedd o arian ond erbyn amser cinio dim ond dwy bunt oedd ar ôl.

'Dwi ddim yn deall lle mae o wedi mynd,' meddai gan lyfu ei ail hufen iâ.

Chwarddodd ei dad.

'Llysywen mewn dwrn yw arian, Geraint. Mae o'n anodd iawn i ddal gafael arno.'

Mae meistr ar meistr Mostyn

Roedd Mei ychydig yn hŷn na'r plant eraill ar y stryd ac yn tueddu i ddweud wrth bawb be i'w wneud. I ddweud y gwir roedd o'n ychydig o fwli.

Ond pan ddaeth ei gyfnither i aros gyda Mei roedd pethau'n wahanol. Hi oedd yn dweud wrtho fo be i'w wneud, a Mei yn gwrando arni hi'n ufudd. Roedd pawb wedi synnu.

'Wel,' meddai un ohonynt, 'mae yna feistr ar meistr Mostyn.'

'Oes, da iawn 'de!' meddai un arall.

Mwya'r brys, mwya'r rhwystr

Roedd mam Lowri wedi cysgu'n hwyr ac yn trio brysio. Ceisiodd gario'r holl lestri brecwast oddi ar y bwrdd gyda'i gilydd a gollyngodd blât. Bu rhaid iddi sgubo'r darnau a'u rhoi yn y bin. Rhoddodd golur ar ei llygaid ar ffasiwn frys fel ei fod yn flêr, a bu rhaid iddi ei sychu i ffwrdd ac ailddechrau. Gafaelodd yn ei bag heb wneud yn siŵr fod popeth ynddo. Pan gyrhaeddodd y car sylweddolodd fod y goriad yn dal ar fwrdd y gegin, a bu raid iddi redeg yn ôl i'r tŷ.

'Fe fyddai'n well i ti arafu ychydig,' meddai tad Lowri wrthi hi. 'Mwya'r brys, mwya'r rhwystr.'

Mwyaf eu trwst, llestri gweigion

Roedd Siw wrth ei bodd ei bod hi wedi cael ei dewis i fynd i ysgol haf arbennig ar gyfer plant oedd â diddordeb mewn drama. Roedd y plant o wahanol ysgolion a'r rhan fwyaf yn eithaf distaw y diwrnod cyntaf. Ond roedd yna un criw bach o blant oedd â barn am bopeth roedd y tiwtor yn ei wneud.

'Dwi'n meddwl eu bod nhw'n gwbod llawer mwy am ddrama na fi a'r lleill,' meddai Siw wrth ei thad.

'Efallai ddim,' atebodd ei thad. 'Mwyaf eu trwst, llestri gweigion.'

Ac ar ôl ychydig ddyddiau gwelodd Siw fod ei thad yn iawn. Er bod rhain yn gwneud llawer o dwrw doeddan nhw ddim yn gwbod llawer am ddrama!

Nerth morgrugyn, ei ddiwydrwydd

Roedd taid Iwan wedi symud i dŷ newydd gyda gardd fawr a oedd yn llawn chwyn a llanast. Roedd yn benderfynol y gallai dacluso'r ardd ei hun ond roedd Iwan yn poeni gan fod ei daid yn hen. Gwyliodd yr hen ŵr yn llenwi un fasged fechan efo chwyn a'i chario'n araf i'r bin ailgylchu.

'Wneith Taid byth glirio'r ardd fel yna,' meddai Iwan wrth ei rieni.

Ond pan aeth y teulu yn ôl i'w weld ychydig fisoedd wedyn roedd pawb wedi synnu gweld gardd daclus.

'Pwy wnaeth eich helpu?' holodd Iwan.

'Neb,' atebodd ei daid. 'Nerth morgrugyn, ei ddiwydrwydd. Cwbl wnes i oedd dal ati a chlirio ychydig bach bob dydd.'

Ni cheir y melys heb y chwerw

'Pam fod rhaid i mi wneud hyn?' cwynodd Alffi wrth iddo wthio'r ferfa yn llawn tail o'r stabl i'r domen.

'Ond mi wyt ti'n mwynhau marchogaeth y ceffylau, yn dwyt?' holodd ei fam.

'Yndw,' atebodd Alffi, 'ac mi ydw i'n mwynhau eu brwsio a'u bwydo. Ond tydw i ddim yn mwynhau glanhau'r stablau.'

'Ni cheir y melys heb y chwerw,' atebodd ei fam. 'Fedri di ddim dewis y darnau pleserus o'r gwaith. Os wyt ti am farchogaeth y ceffylau mae'n rhaid i ti hefyd lanhau'r stablau.'

Ni ddaw henaint ei hunan

Roedd taid Gwion yn cael trafferth codi o'r gadair ac yn cerdded yn araf iawn, llawer arafach na phan ddaeth o draw i weld y teulu yn yr haf.

'Ydach chi wedi brifo, Taid?' holodd Gwion.

'Naddo, dim ond heneiddio. Ac ni ddaw henaint ei hunan.'

'Be dach chi'n feddwl?'

'Wel, dwi'n cael ychydig o gryd cymalau wrth i mi fynd yn hŷn 'sti. A dwi ddim yn gweld cystal ag oeddwn i, na chlywed cystal chwaith – pethau felly.'

'Dwi'n falch nad ydw i'n hen,' meddai Gwion. Ond mi oedd o'n gwenu ar ei daid ac mi oedd ei daid yn chwerthin.

Nid aur yw popeth melyn

Ceisiodd mam Elain ei pherswadio i ddewis y beic glas, plaen.

'Mae o'n gryf ac yn gyflym,' meddai.

Ond roedd Elain wedi gweld beic arall yn y siop – un pinc, gloyw, gydag addurniadau ar yr olwynion a sedd gyda phatrwm croen sebra. Roedd hi'n mynnu mai hwnnw roedd hi'i eisiau yn anrheg pen-blwydd.

Ond yn fuan iawn ar ôl ei gael sylweddolodd nad oedd o'n feic cyflym iawn ac nad oedd y sedd yn gyfforddus.

'Nid aur yw popeth melyn,' meddai ei mam.

Nid rhy hen neb i ddysgu

‘Ond mae Nain yn 62,’ chwarddodd Noa. ‘Tydi pobl 62 ddim yn mynd i gael gwersi nofio!’

Roedd hynny dri mis yn ôl. Ond ddoe fe aeth Noa a’i nain i’r pwll nofio ac edrychodd mewn syndod wrth iddi hi nofio o un pen y pwll i’r llall.

‘Ond tydach chi ddim yn gallu nofio,’ meddai.

‘Nid rhy hen neb i ddysgu,’ atebodd ei nain gan chwerthin a thasgu dŵr drosto fo.

Nid wrth redeg mae aredig

'Dwi ddim yn gallu gwneud hyn!' cwynodd Dilwyn.

Edrychodd ei dad ar y gwaith blêr yr oedd wedi'i wneud o beintio cwt y mochyn cwta.

'Brysio gormod wyt ti,' meddai ei dad. 'Nid wrth redeg mae aredig.'

'Nid aredig oeddwn i,' meddai Dilwyn yn flin.

'Nage,' meddai ei dad, 'ond yn ara deg ac yn bwyllog mae isio gwneud unrhyw waith lle mae angen bod yn ofalus. Fyddai yna ddim paent ym mhobman petaet ti wedi cymryd dy amser.'

Nid y dillad sy'n gwneud y dyn

Roedd dau fachgen newydd wedi ymuno â'r tîm pêl-droed. Roedd gan Rhys esgidiau drud iawn a chit diweddaraf ei hoff dîm, a hyd yn oed fag pwrpasol i gario popeth. Roedd pawb yn meddwl y byddai'n chwaraewr da iawn. Esgidiau rhad iawn oedd gan Dafydd ac roedd un o'r lleill yn sicr ei fod wedi gweld ei grys yn y siop elusen yr wythnos cynt. Byddai'n cyrraedd yr ymarfer â phopeth wedi'i wthio i fag plastig.

Ond yn fuan iawn sylweddolodd pawb mai Dafydd oedd y chwaraewr gorau, yn ogystal â bod yn fachgen hwyliog oedd yn gallu gwneud i bawb chwerthin.

Nid yw'r hoff o lyfr yn fyr o gyfaill

Roedd ffrind gorau Bethan wedi mynd ar ei gwyliau, roedd ei brawd a'i thad wedi mynd i wylio pêl-droed ac roedd rhaid i'w mam weithio yn ei swyddfa yn y llofft. Roedd hi'n tresio bwrw glaw ac roedd eu tŷ ymhell o'r pentref.

'Mae gen i ofn mai diwrnod unig gei di heddiw, Beth,' meddai ei mam.

Ond roedd Bethan ddigon hapus. Roedd hi ar ganol llyfr eithriadol o ddifyr a chyffrous. Swatiodd ar y soffa o flaen y tân. Wnaeth hi ddim hyd yn oed codi'i phen pan ddaeth ei mam lawr grisiau amser cinio.

'Wel, dwi'n falch o weld dy fod yn hapus,' meddai ei mam. 'Maen nhw'n deud nad ydi pobl sydd yn hoff o lyfr byth yn fyr o gyfaill.'

O geiniog i geiniog â'r arian yn bunt

Ar y ffordd adref o'r ysgol roedd Dewi wedi cael hyd i ddwy geiniog ar y llawr, ac roedd ei fam wedi dweud y câi gadw'r tair ceiniog o newid a gafodd pan aeth i brynu papur newydd iddi hi. Y noson honno cyn mynd i'w wely rhoddodd yr arian yn ei gadw-mi-gei.

'Be ti'n neud?' holodd ei chwaer.

'Casglu arian i brynu cawell newydd yn anrheg Dolig i'r bochdew,' atebodd Dewi.

Dangosodd y cawell roedd o ei eisiau i'w chwaer ar y cyfrifiadur.

'Ond mae hwnnw'n costio £25!' meddai ei chwaer. 'Ti ond wedi rhoi pump ceiniog yn y mochyn.'

Ond bob nos byddai Dewi'n rhoi arian yn ei gadw-mi-gei. Weithiau byddai ond yn rhoi ceiniog, dro arall byddai'n gallu rhoi punt, ac erbyn y Nadolig roedd ganddo ddigon o arian i brynu'r cawell drud.

Os collir y bore, ni ddelir mohono cyn y nos

Roedd gan Meg restr hir o bethau roedd hi angen eu gwneud y diwrnod hwnnw ac mi oedd hi wedi bwriadu dechrau arnynt ben bore. Ond fe gysgodd yn hwyr.

'Peidiwch â phoeni,' meddai wrth ei mam, 'mi wna i ddal ati tan yn hwyr heno ac mi fydda i wedi gwneud popeth.'

'Os collir y bore, ni ddelir mohono cyn y nos,' atebodd ei mam.

Ac mi oedd ei mam yn iawn – roedd hi'n ddeg o'r gloch y nos a Meg yn dal heb wneud popeth.

'Dwi'n bendant yn mynd i godi'n gynnar bore fory,' meddai.

Pan fo ewyllys llanc i fyned, gwêl y rhiw yn oriwaered

Roedd Ben wedi bod yn eistedd o flaen y cyfrifiadur yn ysgrifennu rhywbeth ers dros awr. Allai ei rieni ddim credu'r peth. Fel arfer roedd Ben yn casáu ysgrifennu. Byddai'n cwyno wrth wneud ei waith cartref ac yna'n diflannu i chwarae rygbi.

'Dwi'n falch iawn dy weld yn gwneud dipyn o waith ysgol,' meddai ei dad wrth gerdded heibio.

'Nid gwaith ysgol ydi o,' atebodd Ben. 'Dwi angen blogio am y clwb rygbi. Mae hwn yn wahanol – mi ydw i isio gwneud hwn.'

Pryn rad, pryn eilwaith

Dim ond dau fis oedd ers i nain Beca brynu'r beic newydd iddi hi, ond roedd sawl peth wedi malu arno'n barod a doedd dim posib ei drwsio. Erbyn i nain Beca ddod draw nesaf doedd dim posib defnyddio'r beic, a doedd dim posib ei drwsio, hyd yn oed.

'Mae'n ddrwg gen i, Beca,' meddai ei nain. 'Fi ydi'r bai yn dewis yr un rhataf yn y siop. Rŵan fe fydd rhaid i mi brynu un arall i ti. Pryn rad, pryn eilwaith.'

Rhydd i pawb ei farn, a phob barn ei llafar

Nid oedd gweddill y plant yn hapus fod Alwyn yn dadlau na ddylai'r merched gael chwarae pêl-droed dros yr ysgol. Roedd pawb yn gweiddi arno i fod ddistaw. Dywedodd yr athro wrthyn nhw dawelu.

'Ond dach chi ddim yn cyd-weld efo fo!' meddai Luned.

'Nag ydw,' atebodd yr athro, 'ond rhydd i bawb ei farn a phob barn ei llafar. Dwi'n credu y dylai Alwyn gael meddwl yn wahanol i bawb arall, ac y dylai o gael cyfle i esbonio yr hyn mae o'n feddwl.'

Tecaf fro, bro mebyd

Pan ofynnwyd wrth y canwr enwog pa un oedd ei hoff le yng Nghymru, fe enwodd bentref bychan nad oedd neb wedi clywed amdano.

'A be sy'n arbennig am y lle?' gofynnodd yr holwr ar y rhaglen deledu. 'Ydi o'n dlws iawn?'

'Nag ydi.'

'Ydi o'n llawn adeiladau gwych?'

'Nag ydi.'

'Oes yna hanes pwysig i'r lle?'

'Nag oes, ond yno oeddwn i'n byw pan oeddwn i'n hogyn bach, felly dyma'r lle gorau yn y byd i mi. Tecaf fro, bro mebyd.'

Tlws popeth bychan

Nid oedd Mared yn hoff iawn o wartheg. Roedd arni hi eu hofn a chredai eu bod yn anifeiliaid hyll. Oherwydd hynny doedd hi ddim yn edrych ymlaen at fynd i aros ar fferm odro ei modryb. Allai hi ddim dychmygu dim byd gwaeth na bod yng nghanol gwartheg trwy'r dydd, a gwyddai y byddai'n rhaid iddi hi helpu.

Cafodd ei hanfon i'r sied ger y tŷ i nôl bwced. Ac yno roedd yr anifail tlysaf welodd hi erioed, gyda llygaid mawr brown ac amrannau hirion.

'Be wyt ti'n feddwl ohono?' gofynnodd ei modryb.

'Mae o mor dlws!'

'Mi oeddwn i'n meddwl nad oeddet ti'n hoffi gwartheg,' meddai ei modryb.

'Ond babi ydi hwn,' atebodd Mared gan fwytho'r llo. 'Tlws popeth bychan!'

Un celwydd yn dad i gant

Nid oedd Bryn wedi gwneud ei waith cartref dros y gwyliau, ond dywedodd wrth ei athrawes ei fod wedi bod yn nhŷ ei nain yn Sir Benfro ac wedi gadael y gwaith yno. Nid oedd o wedi bod yn nhŷ ei nain – roedd ei nain wedi dod i'w gweld nhw – ond dim ond un celwydd bach oedd o.

Gofynnodd yr athrawes a oedd o wedi mynd i Dyddewi pan oedd o'n Sir Benfro, a dywedodd Bryn ei fod wedi bod yno. Holodd yr athrawes a oedd o wedi gweld dolffiniaid yn y môr. Dywedodd Bryn ei fod wedi gweld saith dolffin y diwrnod aeth o allan efo'i ewyrth yn ei gwch. Gofynnodd yr athrawes iddo sôn wrth y dosbarth am y profiad ac ymhen dim roedd Bryn wedi creu gwyliau cyfan – gwyliau gwych yn Sir Benfro gyda'i nain a'i ewyrth. A'r cyfan yn gelwyddau oedd wedi dechrau ag un celwydd bach!

Y ci a gerddo a gaiff

'Pam wyt ti wedi cael cynnig mynd i'r sioe geffylau efo Taid?' holodd Lisa ei chwaer.

'Wel, be wyt ti wedi bod yn ei wneud heddiw?' atebodd Glenys.

'Dim,' cyfaddefodd Lisa.

'Wel, mi wnes i fynd i dŷ Taid, ei helpu i frwsio'r merlod ac yna gofyn a faswn i'n cael mynd i'r sioe. Os nad wyt ti'n gwneud unrhyw beth, ac os nad wyt ti'n gofyn, gei di byth ddim byd. Ond y ci a gerddo a gaiff!'

Y ci distaw sy'n cnoi

Roedd rhai athrawon yn gweiddi ar y plant, rhai yn cwyno am broblemau bach iawn, a rhai yn bygwth pob math o bethau os nad oeddynt yn ufudd ac os nad oeddynt yn gweithio'n galed. Ond nid oedd Mr Llywelyn yn gwneud hyn byth. Roedd Anna yn ddisgybl newydd ac roedd hi'n credu ei fod yn athro caredig iawn.

'Mi gei di weld,' meddai ei ffrindiau newydd. 'Y ci distaw sy'n cnoi.'

A phan wnaeth Anna dreulio'r wers fathemateg yn tynnu lluniau ceffylau yn ei llyfr roedd hi wedi synnu ei bod wedi cael cymaint o gosb gan yr athro.

Y cyntaf i'r felin gaiff falu

'Mae'n ddrwg gen i, Tudur, does yna ddim tocynnau ar ôl,' meddai Jo, arweinydd y clwb ieuenctid. 'Mi wnes i ddweud mai'r cyntaf i'r felin oedd hi, yn'do?'

Roedd Tudur yn siomedig iawn. Roedd o wedi edrych ymlaen i weld y sioe, ond allai o ddim cwyno. Roedd Jo wedi dweud yn glir mai dim ond deg tocyn am ddim roedd y clwb wedi'u cael gan y theatr ac y byddai'n eu rhoi i'r plant cyntaf i gyrraedd y ganolfan, a gofyn amdanynt.

Yng ngenau'r sach mae cynilo

Roedd teulu Mabli'n gwersylla am wythnos ar fferm anghysbell, ymhell o unrhyw siop. Roedd ei mam wedi dod â llawer o fwyd efo nhw, gan gynnwys bocs anferth o fisgedi siocled. Ar ôl swper y noson gyntaf rhoddodd ddwy fisgeden i bawb. Llowciodd Mabli ei bisgedi a gofyn am fwy, ond gwrthododd ei mam.

'Ond mae 'na lond bocs o fisgedi yna!'

'Oes, ond mae'n rhaid iddyn nhw bara trwy'r wythnos,' esboniodd ei mam.

'Rhaid i mi fod yn ofalus a pheidio rhoi gormod i chi rŵan, er bod yna lawer yna. Yng ngenau'r sach mae cynilo.'

Yr euog a ffy heb neb yn ei erlid

Roedd ffenest y neuadd wedi torri ac roedd pob un o'r plant a oedd wedi bod yn chwarae pêl-droed yn y maes parcio yn edrych arni'n syn. Pob un heblaw Steffan. Mi oedd o wedi dringo dros y wal a rhedeg am adref.

'Dwi ddim yn meddwl fod angen i mi ofyn pwy giciodd y bêl trwy'r ffenest,' meddai Mr Llwyd, y gofalwr. 'Fyddwn i heb fod yn flin efo Steffan; wedi'r cyfan, mae damweiniau'n digwydd. Ond yr euog a ffy heb neb yn ei erlid.'

Yr hen a ŵyr, yr ifanc a dybia

Roedd brawd mawr Ifan newydd adael y coleg a dod i weithio efo'i dad a'i daid fel trydanwr. Roedd o'n llawn syniadau ar sut i wella'r busnes. Ond nid oedd ei dad a'i daid yn cyd-weld efo pob dim yr oedd o'n ei ddweud.

'Ond mi ydw i'n iawn,' meddai. 'Dwi'n gwybod y byddai hynna'n gweithio.'

'Yr hen a ŵyr, yr ifanc a dybia,' meddai taid Ifan. 'Tybio wyt ti, meddwl wyt ti ei fod o'n syniad da; mi ydw i a dy dad yn gwybod ei fod o'n syniad gwirion oherwydd ein bod ni wedi ei drio fo flynyddoedd yn ôl.'

Yr oen yn dysgu i'r ddafad bori

Roedd mam Dylan yn mwynhau coginio ac yn un dda iawn am wneud bwyd. Ond doedd hi ddim yn un dda am wneud cacen.

'Mae angen ychwanegu'r wyau i mewn i'r gymysgedd yn araf, nid yn wyllt fel dach chi'n neud,' meddai Dylan wrthi un diwrnod. Gwrandawodd ei fam, ac roedd y gacen nesa'n ardderchog.

'Wel wir, dyna be ydi'r oen yn dysgu'r ddafad bori,' chwarddodd ei fam, gan dorri darn arall o'r gacen.

Dros Ben Llestri

Dim Gobaith Caneri

Dau gasgliad o idiomau hwyliog i blant

Testun gan Sian Northey

Cwpledi gan Myrddin ap Dafydd

Lluniau gan Siôn Morris